우리가 모르는 ─
시청각장애인

소리도 빛도 없는
하루를 사는 사람들

─ 김예은 지음

"너는 말 못하는 자와 모든 고독한 자의 송사를 위하여 입을 열지니라"

(잠언 31장 8절)

들어가는 말

　어느 봄날, '서울책보고'에 방문했다 손때가 묻은 헬렌 켈러에 관한 책 한 권을 샀다. 헬렌 켈러라면 볼 수도 들을 수도 말할 수도 없는 삼중고 장애를 딛고 일어선 위인으로 누구나 알고 있을 것이다. 내가 만약 시청각장애인을 만나지 않았다면 나는 책 표지만 보고 다시 책을 책장에 꽂아 넣었을 것이다. 그런데 나는 소리도 빛도 없는 하루를 사는 사람들을 만났었다. 내가 얼마나 세상에 관심이 없었는지 내 주변에 시청각장애인이 있다는 사실을 그전까지 깨닫지 못했다. 그래서 헬렌 켈러에 대해 자세히 알고 싶은 생각이 들었고 나는 곧바로 카페에 앉아서 책에 빠졌다. 며칠 동안 책을 읽고 덮었을 때 시청각장애에 대해 알리는 책을 쓰고 싶다는 마음이 일었다.

만약 우리가 듣지 못한다면 눈을 의지할 수 있을 것이고 우리가 보지 못한다면 귀를 의지할 수 있을 것이다. 그러나 보이지도 들리지도 않는 고통을 가졌다면 어떻게 살까. 내가 시청각장애인에 대해 잘 알지 못했던 시절에 한 여학생을 만났었다. 여학생은 눈으로 보지 못하고 귀로 듣지 못하는 상태였고, 말할 수 없어 꼬집고 때리고 할퀴어 자신의 욕구를 표현했다. 누구도 여학생을 시청각장애인이라고 알려주지 않았다. 여학생은 시각장애 특수학교에 다니고 있었으나 맞춤형 교육을 기대할 수 없었다. 왜냐하면 볼 수도 들을 수도 없는 시청각장애인은 시각장애인도 청각장애인도 아니기 때문이다. 절대 시각장애에 청각장애가 더한 것이라고 단순히 생각하면 안된다. 시청각장애인은 시각과 청각이 동시에 장애가 있는 사람을 말하지만 전혀 다른 유형의 장애다. 그때도 지금도 시청각장애인을 모르는 사람이 많다고 느낀다. 나는 잠시 시청각장애인을 돕는 일을 했었다. 그 바탕으로 이 글을 쓰게 되었기에 전문적인 분야까지는 다루지 못했다. 내가 겪은 경험과 정보로 이야기를 쓰려고 한다.

헬렌 켈러만 있지 않다. 우리 옆에 우리가 모르는 시청각장애인이
있다.

CONTENT

제 1 부 시청각장애의 이해

시각장애, 청각장애, 시청각장애가 있다

언젠가 친분이 있는 시각장애인 선생님이 나에게 이렇게 물어본 적이 있었다.

"나중에 결혼해서 아기를 낳았을 때, 내가 눈이 안 보여서 아기 얼굴을 못 보는 것이 더 불행할까, 아니면 귀가 안 들려서 아기 목소리를 못 듣는 것이 더 불행할까? 어느 쪽이 더 불행하다고 생각해?"

나는 비장애인으로서 한 번도 생각해 본 적이 없는 문제라 대답하기 어려웠다.

그 후 시간이 많이 흘러 사회복지사로 일하며 시청각장애인을 만나게 되었다. 시청각장애인은 시각과 청각 두 가지 모두에 장애가 있는 사람들을 의미한다. 당시 시각장애, 청각장애, 그리고 전혀 다른 유형의 시청각장애가 있다는 사실을 널리 알리기 위한 캠페인을 진행하는 업무를 맡았다. 그전까지 지역 사회에 장애 인식을 개선하려는 홍보 활동을 펼치려 했지만, '시청각장애'라는 단어조차 모르는 사람이 많다는 사실을 알게 되었다. 나 자신도 사회복지사로 일하기 전까지는 시청각장애에 대해 들어본 적이 없었다.

시청각장애는 단순하게 시각장애와 청각장애가 동시에 손상된 것이 아니다. 두 가지 장애가 복합적으로 작용하여 완전히 새로운 유형의 장애를 만든 것이다. 많은 사람이 장애를 이해하지 못하는 것은 시청각장애가 얼마나 복잡하고 특수한 상황인지 알지 못하기 때문이다. 두 가지 감각 상실로 인하여 삶에서 많은 기회를 잃게 된다는 뜻이다.

그런데 시청각장애인 당사자조차 시청각장애를 알지 못하는 경우를 종종 본 적이 있었다. 원래 시력이 나빠서 안경을 쓰고 살다가 점점 청력마저 잃게 되어 보청기를 끼게 되었지만 본인 스스로는 여전히 시각장애인이었다. 분명 일상생활에서 가족이나 친구의 도움이 필요한 사람이었다. 시력과 청력 양쪽에 장애가 있다면 시청각장애로 진단받아야 한다. 하지만 우리 사회가 아직 시청각장애에 대한 정확한 정보를 가지고 있지 않고 적극적으로 지원하지 못하고 있다.

➡ 시청각장애인은 의사소통, 이동, 정보 접근에 어려움을 겪는 사람을 말해요!

시각장애에 청각장애가 더한 것이 아니다

시청각장애는 시각장애와 청각장애가 더한 것이 아니다. 이는 시각과 청각이 동시에 손상되어 나타나는 전혀 다른 유형의 중증 장애로 의사소통, 보행, 사회 적응 등에서 심각한 어려움을 겪게 된다. 볼 수도 들을 수 없기에 의사소통이 어렵고 보행의 자유가 없어 집 안에만 갇혀 살며 사회에 적응하지 못한다.

한 남자는 시청각장애인으로 살기 전까지 사회에서 잘나가는 업체를 운영했었다. 누구보다 부지런했고 어려운 이웃에게 베풀 줄 아는 사람이었다. 어렸을 적부터 청력이 좋지 않았으나 시력에 의지하며 살 수 있었다. 그런데 질병으로 빛마저 잃게 되자 절망적이었다. 장애가 진행되는 동안 어디에서 훈련받고 서비스를 받아야 할지 몰랐다. 남자는 완전히 시력을 잃고 난 뒤에 홀로 고립된 삶을 선택했다. 앞으로 집 밖에 나가지 않기로 한 것이다. 시력과 청력의 상실로 인해서 충격과 슬픔을 겪고 있었지만, 적절한 시기에 정신적 치료를 받지 못했다. 우리는 이 남자는 어떻게 도와야 할까? 어떤 사람은 시청각장애인을 주변에서 만날 수 없는데 어떻게 돕냐고 말하기도 했다.

14

하지만 집 밖에 나오지 못하고 세상의 빛과 소리가 사라진 곳에서 혼자 견디며 살고 있는 시청각장애인이 있다는 것을 알아주었으면 한다.

우리가 잘 알고 있는 헬렌 켈러가 시청각장애의 대표적인 인물이다. 헬렌 켈러는 미국의 작가, 정치활동가, 교육가로 시청각장애를 극복한 인물로 널리 알려져 있다. 그녀는 태어난 지 19개월 되었을 때,

뇌척수막염으로 추측되는 병을 앓으면서 시각과 청각 모두를 잃게 되었다. 그러나 헬렌 켈러는 특별한 교육과 지원을 통해 놀라운 성취를 이루었다.

미국에서는 1967년 헬렌 켈러의 이름을 딴 '헬렌 켈러 법(Helen Keller Act)'이 제정되어 시청각장애인을 위한 체계적인 지원과 정책이 마련되었다. 시청각장애인들이 필요로 하는 특수한 서비스를 제공

하고 이들의 생활과 교육을 지원한다. 헬렌 켈러 법의 제정은 시청각 장애인들이 독립적으로 생활할 수 있도록 돕고 사회에 참여하는 기회를 주었다.

현재 우리나라에서는 시청각장애인이 약 1만 명 이상으로 추정하고 있지만, 전국 단위로 시청각장애인에 대한 실태조사를 한 적이 없어 정확한 수치는 알 수 없다. 태어날 때부터 장애를 가지거나 사고, 질병, 노화 등으로 시력과 청력을 잃어 장애를 가질 수도 있다. 장애 원인도 다르고 연령도 다양하다. 이렇게 장애 징후가 많아도 시청각 장애를 15개의 장애 유형 외에 별도로 규정하고 있지 않다. 그래서 시청각장애인만을 위한 복지기관도 없고 시청각장애인에게 실질적인 도움이 될 수 있는 체계적인 지원도 없다.

15개 장애유형

지체장애	뇌병변장애	시각장애	청각장애
언어장애	안면장애	신장장애	심장장애
간장애	호흡기장애	장루 요루장애	뇌전증장애
지적장애	자폐성장애	정신장애	

　　그동안 시청각장애인은 어떻게 살고 있었을까. 시청각장애인은 당사자들끼리도 서로의 존재를 모르기도 한다. 어느 시청각장애인은 세상 밖으로 나오기 전에는 나같이 볼 수도 들을 수도 없는 사람은 혼자뿐이라고 생각했다.

➡ 미국은 4만 명, 일본은 1만 4천 명의 시청각장애인이 있어요!

발생 시기와 장애 정도가 모두 다르다

시청각장애는 발생 시기와 장애 정도가 각각 달라서 각 유형에 따라 적절한 지원이 필요하다. 시청각장애는 먼저 장애 발생 시기에 따라 선천성 시청각장애, 청각 기반 시청각장애, 시각 기반 시청각장애로 나눌 수 있다. 다음으로 장애 정도에 따라 설명할 수 있다. 전맹전농(시각과 청각 모두 손실), 맹난청(청력은 남아 있지만 시력은 모두 상실), 저시력농(잔존시력은 있지만 청력은 모두 상실), 저시력난청(시력과 청력 모두 잔존)으로 구분할 수 있다.

현장에서 시청각장애인을 위한 서비스 교육이 할 때 어떤 사람은 지원인이 큰 목소리로 알려주는 것으로 활동이 되는 사람이 있었고 어떤 사람은 큰 글자로 써서 알려주어야 활동이 가능한 사람이 있었다. 같은 수업을 받고 있어도 각각 장애 정도가 다르기에 맞춤형으로 지원해야 했다. 만약 작업 활동이 많은 서비스 교육을 받는 시청각장애인이 열 명이라면 지원인 역시 열 명이 있어야 한다. 그리고 시청각장애를 가지고 있는 사람의 상태를 미리 자세히 살펴보고 필요 사항을 고려해야 한다. 시청각장애인은 발생 시기와 장애 정도에 따라 의사소통 방식이 다르므로 다른 방식의 지원이 필요할 수밖에 없다.

➥ 잔존 시력이 있을 경우 큰 글씨로 쓰고, 잔존 청력이 있을 경우 명확하게 말해주세요!

장애 정도에 따라

전맹전농

시각 청각
활용 불가능

의사소통
이동
정보접근
어려움

맹난청

청력 활용 가능
시력 불가능

의사소통
가능

이동
정보접근
어려움

저시력농

시각 활용 가능
청각 불가능

이동
정보접근
가능

의사소통
어려움

저시력난청

시각 청각
활용 가능

의사소통
이동
정보접근
일부 가능

발생 시기에 따라

선천성 시청각장애

유전적 요인,
임신, 출신 중의 문제

조기 개입
특수 교육 지원 필요

청각기반 시청각장애

청각 장애 발생
이후 시각 장애 추가 발생

의사소통, 생활 방식
변화

시각기반 시청각장애

시각 장애 발생
이후 청각 장애 추가 발생

의사소통 어려움
지원 강화 필요

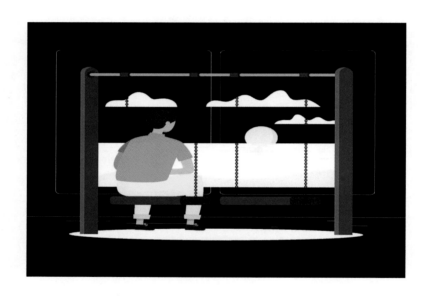

제 2 부 시청각장애인 인물과 경험

헬렌 켈러

헬렌 애덤스 켈러(Helen Adams Keller, 1880~1968)는 19개월 때 시력과 청력을 잃는 병을 앓았다. 부모는 아기가 눈앞에서 손을 흔드는데도 아기의 눈꺼풀이 닫히지 않고 소리에도 반응을 보이지 않는 것을 깨달았다. 아기는 눈으로 볼 수도 없고, 귀로 들을 수도 없으며 입으로 말할 수도 없는 장애를 가지고 어둠과 침묵 속에서 오직 손으로 물체를 느꼈다. 가정교사 앤 설리번을 만나기 전까지 헬렌은 무질서한 세계에 갇혀 버릇없는 나쁜 아이로 성장했다.

설리번은 가정 폭력이 있는 불우한 어린 시절을 보냈으며 빈민 보호시설에서 지내기도 했었다. 그녀 역시 시력이 나빠 퍼킨스 시각장애아 학교에 다녔다. 그곳에서 교육받고 점자를 배웠다. 졸업을 앞두었을 때 퍼킨스 시각장애아 학교 교장이 시청각장애아 헬렌의 가정교사로 설리번을 추천했다. 헬렌을 만난 설리번의 나이는 스무 살에 불과했다. 설리번은 퍼킨스 시각장애아 학교에서 시청각장애인 로라 브리지먼을 보았고 로라 브리지먼을 가르친 유명한 박사 하우이의 보고서를 읽으며 공부했다.

처음 설리번은 헬렌에게 그들이 하는 일들을 하루 종일 손바닥에 철자를 써서 단어로 알려주었다. 헬렌은 여전히 물건을 던지고 비명을 질러댔다. 설리번은 인내심을 가지고 의사소통하는 법을 교육했다. 기적은 빨리 왔다. 헬렌은 펌프가에서 손에 쓴 'water'라는 글자를 배우며 '물'의 개념을 알게 되었고 언어를 깨닫게 되었다. 설리번은 헬렌에게 고립된 세계에서 외부 세계가 있다는 것을 깨우쳐 준 것이다. 헬렌은 열 살 때 세계적으로 유명해진 아이가 되었다.

헬렌은 손에 글자를 쓰며 대화하기 시작했고 설리번은 완전한 문장을 쓰도록 가르쳤다. 헬렌은 식물과 색깔과 공기의 진동에 흥미를 보였고 손 근육을 다양하게 움직여 촉각으로 많은 것을 배워나갔다.

헬렌은 정규 교육을 받으며 점자를 읽고 타자기로 글을 쓰기도 했다. 설리번은 항상 헬렌과 함께 다니며 공부를 도왔다. 헬렌 켈러는 레드클리프 대학교에서 학위를 받았다. 당시 시각과 청각에 장애를 가진 사람으로는 첫번째 받는 학위였다. 설리번은 평생의 동반자 또한 스승으로 남았다. 헬렌은 계속해서 글쓰기와 강연가로 활발히 활동하였으며 정치활동도 이어갔다. 장애인 교육과 권리 증진에 중요한 역할을 했다.

헬렌 켈러는 사흘 만 볼 수 있다면 첫번째 날은 나와 우정을 나누고 삶을 가치 있게 해준 사람들을 보고 싶다고 했으며 두번째 날은 새벽에 일어나 밤이 아침으로 바뀌는 기적을 보고 싶다고 했고 세번째 날은 매일매일의 아름다움을 볼 수 있는 기억을 간직하겠다고 했다.

헬렌을 세상과 소통하게 해주는 것은 손바닥에 쓰는 글과 촉각으로 하는 수화와 말하는 사람의 입술에 손가락을 만지는 타도마 같은 대화로 가능했다. 설리번의 교육이 있었기에 가능했다.

➥ 시청각장애인의 손을 잡아주세요. 설리번의 손이 되어주세요!

로라 브리지먼

로라 듀이 브리지먼(Laura Dewey Bridgman, 1829~1889)은 두 살이 되었을 때 홍역을 수 주 동안 앓으며 시력, 청력, 후각, 미각을 잃었다. 유일하게 남은 촉각에만 의지하는 삶을 살게 되었다. 브리지먼은 헬렌 켈러보다 앞선 손가락 철자로 의사소통을 배운 최초의 시청각장애인이었다.

브리지먼은 8살 무렵 퍼킨스 시각장애아 학교 초대 교장 새뮤얼 그리들리 하우이 박사에게 교육받았다. 브리지먼은 기초적인 수화를 알고 있었지만, 하우이는 처음 열쇠나 숟가락 같은 물건에 돌출시킨 알파벳 철자를 붙여서 이름을 알게 했다. 브리지먼은 언어를 습득하며 의사소통이 향상되었고 여러 수업에 참여할 수 있게 되었다.

브리지먼은 손으로 하는 뜨개질에 재주가 좋았다. 그녀가 만든 작품은 인기를 끌었고 잘 팔려나갔다. 브리지먼이 직접 꿰맨 옷으로 만든 인형을 설리번은 처음 헬렌 켈러를 만나러 갈 때 가지고 갔었다.

브리지먼은 옷과 장신구에 관심이 많았고 재단선, 색깔, 옷감을 구분했다. 복도에서 자신을 지나쳐 간 선생님이 누구인지 알았으며 눈

가의 주름을 만지며 나이를 가늠하기도 했다.

새뮤얼 그리들리 하우이 박사는 브리지먼의 교육을 국제적으로 알렸고 찰스 디킨슨은 책에 그녀의 이야기를 담아 출간했다. 브리지먼은 세계적으로 유명한 인물이 되었고 학교가 개방되는 날에 많은 사람 앞에 서야 했다. 브리지먼의 사례는 시청각장애인을 위한 교육과 인식을 변화시켰다.

브리지먼의 교육은 스무 살이 되었을 때 끝났다. 잠시 가족에 있는 집으로 돌아갔으나, 가족은 바빠서 밤낮 혼자 지내야 했고 건강이 좋지 못했다. 브리지먼은 다시 퍼킨스으로 돌아와 뜨개질 작품을 팔고 점자로 된 성경을 읽는 등 시간을 보냈다.

브라지먼의 소통은 어렸을 적 제한적이었지만 퍼킨스 시각장애아 학교에서 만난 새뮤얼 그리들리 하우이 박사의 교육을 통해 세상을 만날 수 있게 되었다.

➡ 시청각장애인에게 인사할 때 자기가 누구인지 이름부터 밝혀주세요!

키릴 악셀로드 신부

키릴 베른하르트 악셀로드 신부(Cyril Bernhard Axelrod, 1942~)는 세 살 때 선천성 청각장애 진단을 받고 세인트 빈센트 농학교에 다니며 수화를 배웠다. 성인이 되어 청각장애인을 돕는 사제가 된 악셀로드 신부는 1980년 망막 색소 변성증을 진단받았다. 그렇게 시각과 청각에 장애를 일으키는 어셔 증후군을 앓고 있었다는 것을 알게 되었다. 시간이 지나면서 터널 시야가 나타나는데 결국 시력을 잃게 된다는 것이었다.

그 후 악셀로드 신부는 영국 시청각장애인 협회의 도움으로 재활 훈련을 받았다. 시청각장애인의 손에 알파벳을 표시하는 지문자를 배웠다. 그리고 붉은색과 흰색으로 된 지팡이로 길을 걷는 방법과 지팡이로 모퉁이를 도는 법과 장애물을 구분하는 방법 등을 익혔다. 또한 시청각장애인을 위하여 특별하게 설계된 방에서 훈련받기도 했다. 혼자서 방 안을 돌아다니고 전자제품 등에 돌출점으로 표시된 점자를 이용하고 그릇을 구분하고 조리 시간을 맞추기도 하고 접시에 음식을 덜고 포크나 스푼으로 입에 넣는 법도 알았다. 옷을 종류별로 구분하고 점자 시계로 시간을 확인하는 법을 배웠다. 초인종이나 화재 경보, 그리고 점자 판독기를 통해 이용하는 문자 전화 등 각기 다른 진동으로 알려주는 삐삐의 이용법을 익혔다.

악셀로드 신부는 시간이 오래 걸렸으나 접촉이 시청각장애인들에게 얼마나 중요한지 알게 되었다. 2001년 시력을 완전히 잃게 되어 손가락 수화를 사용했고 점자를 공부했다. 어셔 증후군으로 청력과 시력을 잃었지만, 지금도 장애인 권리 운동을 하고 있다.

➡ 터널시야 시청각장애인은 밤이나 조명이 약한 실내에서 거의 보이지 않아요!

하벤 길마

하벤 길마(Habem Girma, 1988~)는 어린 시절부터 시작된 알려지지 않은 진행성 질환으로 시력과 청력을 잃었다. 현재는 시력 1% 남아 유지하고 있다. 그녀는 흑인이고 난민의 딸이었지만 미국에서 자랐기에 미국 장애인법의 혜택을 받았다. 블루투스 기능이 있는 점자 컴퓨터를 활용하여 소통과 학업이 가능했다.

하벤은 성장하며 장애를 이기고 모험을 시작했다. 보이지 않아도 들리지 않아도 학교를 짓는 자원봉사를 했고, 알래스카에서 빙산을 올랐고, 하버드 로스쿨을 졸업한 최초의 시청각장애인이 되었다. 하벤은 장애인에 대한 편견과 차별에 대해 목소리를 내며 장애인에게 평등한 기회를 보장하는 옹호 활동을 펼쳤다. 오바마 전 미국 대통령은 하벤을 변화의 챔피온에 선정하기도 했다.

하벤은 저서를 통하여 장애 그 자체가 우리를 가로막고 있는 장벽이 아니라고 믿는 사람들이 모여 공동체를 만들 것이라고 한다. 사회적 장벽, 신체적 장벽, 디지털 장벽을 넘을 수 있는 장애인 인권을 위해서 일하고 있다.

➥ 미국은 '농맹'에 대해 영유아 때부터 조기 개입하며 교육, 훈련, 재활을 지원해요.

시청각장애 원인

어셔 증후군
차지 증후군
다운 증후군
황반변성
백내장 및 녹내장 안구 질환
뇌막염
조산
태아 알코올 증후군
풍진
신체적 손상
뇌졸중
거대세포바이러스

그 외 추가 장애 원인 존재

시청각장애 원인

어셔증후군

어셔증후군은 시청각장애인의 50%를 차지한다.
대개 청각장애 이후 시각장애가 발생하고 균형 감각에 영향을 준다.
이 병은 유전적 요인으로 청력이 손실되고 망막색소변성증이 오는데
처음에는 야맹증이 나타나고 시야가 좁아지다 중년에 시력을 완전히 잃는다.

차지증후군

태아 발달기에 염색체 이상으로 발생하는 희귀 유전적 질환이다.
신체 여러 부위에 영향을 미치는데
눈, 귀, 후두폐쇄, 성장 결함, 생식기 이상 등이 나타난다.
시각장애 또는 청각장애가 흔한 증상이다.

제 3 부 우리가 아는 시청각장애인

시청각장애인은 아무것도 할 수 없다

　시청각장애인은 아무것도 할 수 없다고 생각한다. 많은 사람들이 완전한 시각장애 또는 완전한 청각장애로 오해하지만, 시청각장애의 장애는 모두 다르다. 대개 잔존 기능이 남아 있어 빛을 느끼거나 큰 소리를 감지할 수 있다. 완전히 보지도 듣지 못하는 사람이라고 여기면 잘못됐다.

　시청각장애인은 선천적이든 후천적이든 촉각을 통해 배워나간다. 섬세한 손가락의 움직임으로 세상을 알아간다. 후각, 미각, 몸의 진동으로 찾기도 하다. 다만 시간이 오래 걸리고 에너지도 많이 소모된다. 시청각장애인은 특별한 지원이 필요하지만 배움으로서 소통할 수 있다. 우리가 읽기와 쓰기 같은 교육을 받은 것처럼 수어와 점자를 교육받고 감각발달 훈련을 받으면 일상생활은 물론 다양한 사회 활동에도 참여할 수 있다.

　장애를 바라보는 시각은 사회적으로 규정된다. 장애인이기 때문에 차별받는 것이 아니라 차별받기 때문에 장애인이 된다. 시청각장애가 배움이 불가능하고 배려해야 할 존재로만 본다면 시청각장애인은 정

말 아무것도 할 수 없게 된다. 시청각장애는 분명 어려운 장애지만 적절한 교육과 훈련이 뒷받침되면 능력을 발휘하며 사회에 참여할 수 있다.

➥ 시청각장애인의 생각과 감정을 존중해 주세요!

시각장애와 청각장애의 지원만으로 충분하다

시청각장애는 이중 감각의 손상으로 의사소통, 이동, 정서, 보조기기 활용 등의 지원이 필요하고 시청각장애인마다 요구되는 사항은 달라진다. 게다가 시청각장애인에게 접촉은 매우 중요하다. 반드시 일대일 지원이 되어야 하며 상호작용이 이루어져야 한다. 시각장애나 청각장애를 대상으로 하는 지원만으로 충분한 도움을 받을 수 없다. 시각장애는 청각을 통해 정보를 얻고 청각장애는 시각을 통해 얻지만 시청각장애는 두 기능이 제한되어 있어 활용하기 어렵다. 시청각장애인의 장애 정도, 의사소통 능력, 이동 능력 등을 파악하고 개별적인 맞춤형 지원이 있어야 한다.

➡ 시청각장애인은 접촉이 없으면 사실상 혼자나 다름이 없어요!

시청각장애인은 노년에만 발생하는 문제다

시청각장애인은 개인마다 장애의 정도가 다를 뿐만 아니라 다양한 연령층에 있다. 노화로 기능이 점차 약해져서 시청각장애를 겪기도 하지만 유전적인 요인, 사고로 인한 신체적 손상, 질병 등으로 발생할 수 있다. 따라서 나이에 관계가 없다. 노년층에만 발생하는 문제가 아니다.

사회복지사로 일할 때 자신이 시청각장애인이라 밝히며 연락처를 남기고 간 청년이 있었다. 우리는 지역 사회 안에 있는 시청각장애인을 대부분 파악하고 있었는데 그 청년은 거기에 없었다. 복지 사각지대에 놓여 있는 시청각장애인을 만난 것이었다.

시청각장애인은 여러 가지 배경을 가지고 있으며 특정할 수 없다. 민간에서 운영하는 기관에서는 다양한 연령층으로 구성된 시청각장애인 자조 모임을 독려하며 서로의 존재를 공감하고 장애를 알리는 활동을 하고 있다.

➥ 시청각장애는 모든 연령대의 사람들에게 영향을 주고 있어요.

눈의 장애

정상

터널시야

백내장

황반변성

제 4 부 우리가 모르는 시청각장애인의 삶

의사소통이 어렵다

시청각장애인은 시각과 청각 모두에 문제가 있어 의사소통이 매우 어렵다. 대화, 전화, 문자 메시지와 같은 기본적인 의사소통 수단을 사용할 때 종종 도움을 받아야 한다. 대체로 시청각장애인들은 촉각을 활용한 소통 방법을 사용하며 점자, 수화 등을 활용한다. 만약 의사소통 조력자가 없다면, 시청각장애인은 철저히 소외될 수밖에 없다.

잔존시력이 있는 시청각장애인 A씨를 기억한다. 그녀는 주변 친구들의 대화를 이해하지 못하면서도 고개를 계속 끄덕이며 대화에 참여하는 척했다. 처음에는 그녀가 다 이해하는 줄 알았지만, 나중에 다시 확인해 보니 전혀 듣지 못했다고 밝혔다. 이 경험은 시청각장애인들이 실제로 의사소통에서 겪는 어려움이다.

시청각장애인에게 잔존 감각 기능이 남아 있다면 비언어적 의사소통에 크게 의존한다. 입술 읽기, 손짓, 제스처, 억양, 문자 등에서 정보를 얻는다. 그러나 말하는 사람이 다수이거나 배경 소음이 있거나 글씨 크기가 작으면 전달되는 내용을 이해하지 못한다. 그러므로 시청각장애인 당사자가 평소에 익숙하게 쓰는 의사소통 방법으로 정확하게 정보를 주어야 한다.

시청각장애인이 시각과 청각을 활용하지 못한다면 촉각을 통하여 특별한 지원을 받아야 한다. 외국의 경우는 시청각장애인의 소통을 위하여 촉수화 통역사와 햅틱 시그널 통역사가 각각 배치된다. 촉수화 통역사는 시청각장애인에게 대화의 내용을 손으로 전달하고 햅틱 시그널 통역사는 시청각장애인의 등 뒤에서 공간과 상황에 대한 정보를 등과 팔에 촉신호로 알려준다.

이 외에 시청각장애인을 위한 점자정보단말기나 촉각 장치 등 기술적 도구가 있지만 적절히 제공되지 않는 경우가 많다.

➡ 시청각장애인은 누군가와 대화할 때 주변 상황을 설명해 줄 다른 사람이 필요해요!

이동이 어렵다

　시청각장애인 B씨는 혼자서 이동하는 것을 두려워했다. 그는 가족이나 활동지원사의 도움 없이는 집을 나서지 않았다. 병원에 가는 날을 제외하고는 대부분 방 안에서 지낸다고 말했다. 왜냐하면 이전에 산책을 하고 싶다는 간절한 마음에 용기를 내어 집 앞 골목으로 나간 적이 있었다. 이미 알고 있는 길이라고 믿었는데 방향을 찾지 못하고 작은 돌출부에 걸려 쓰러졌다. 그때 얼굴과 몸에 타박상과 골절을 입게 되었고 이후 혼자 집밖에 나서지 못하게 되었다.

　시청각장애인은 주변 장애물을 인식하기 어려워 사고나 위험에 노출될 가능성이 높다. 시각과 청각 정보가 제한되어 환경을 제대로 인식하기 어려운 것이다. 예를 들어, 시각적 정보가 부족해 통행 유도선이나 안전 바리케이드를 인식할 수 없고, 청각적 정보가 부족해 신호등 음향 신호기를 이용할 수 없다. 시각이나 청각에서 일부 기능이 남아 있더라도 대중교통을 이용할 때 안내와 정보를 받는 데 어려움을 겪는다. 교통수단을 이용하기까지 복잡한 시간을 보내고 목적지가 아닌 곳에 도착하기도 한다. 또한, 길을 걷다가 사람과 부딪히거나 자동차에 놀라는 상황도 빈번하다. 계단이나 낮은 턱에도 넘어지는 불편을 겪는다.

빨간색과 흰색 지팡이
시청각장애인의 지팡이

2022년 WFDB(The World Federation of The Deafblind, 세계 시청각장애인 연맹)에서는 빨간색과 흰색으로 된 지팡이를 시청각장애인으로 상징했다. 시청각장애인의 보행 시 도움이 되었으면 좋겠다.

시청각장애인에게 이동의 불안은 외출뿐만이 아니다. 집과 집 주변에서도 공간 인식과 일상생활 적응과 방향 감각이 필요하다. 시청각장애인 C씨는 가전제품에 있는 버튼이 잘 보이지 않아 불편을 겪었다. 버튼뿐만 아니라 방 안에 있는 스위치를 찾기 힘들어했다. 이럴 때 대조적인 색상의 스티커와 다른 질감 스티커로 위치를 구분할 수 있다.

집안에서는 시청각장애인을 위한 안전한 통로를 확보하되 가구는 상의 없이 함부로 이동하지 말아야 한다. 시청각장애인 당사자가 다시 방향 감각을 잃게 될 수도 있다. 시청각장애인의 눈에 불편함이 없는 조명으로 바꾸고 위험 요소가 될 수 있는 테이블 모서리는 보호 테이프를 붙이고 욕실에는 미끄럼 방지 매트를 까는 게 좋다. 문과 문틀은 벽, 바닥과 명확히 구분되어야 턱에 걸려 넘어지는 일을 예방할 수 있다. 시각적인 알림이나 진동으로 환경을 바꿀 수도 있다. 집 주변은 사전에 가이드의 도움을 받아 지팡이로 환경을 탐색하고 안전한 길을 찾아야 한다.

시청각장애인 지원이 제공되는 나라에서는 보행 시 신호등이 바뀔 때 진동음을 알려주는 장치가 있거나 시청각장애인을 알리는 뱃지나 카드를 활용해 실질적인 도움을 받는다.

➡ 시청각장애인은 눈과 귀에서 얻을 수 있는 정보가 차단되어 의미를 놓칠 수 있어요!

정보 인식이 어렵다

　시청각장애인은 일상적인 정보를 얻는 데 큰 어려움을 겪는다. 안내문, 방송, 통신 등은 혼자서 접근하기가 쉽지 않아 많은 불편을 겪고 있다. 시청각장애인 D씨는 기초생활수급자로서 동사무소의 안내문을 보지 못해 불이익을 당한 경험이 있었다.

　가족이 바빠서 종일 집 안에서 TV를 보고 있는 시청각장애인 E씨가 있었다. 하지만 TV 화면은 나오고 있지만, 눈으로 보지 못하고 귀로 듣지 못한다. 가족이 없다면 낮인지 밤인지 구분되지 않는 방 안에서 시청각장애인 혼자 일그러진 TV 화면 불빛만 보는 것이다.

　컴퓨터 모니터 화면에서 아이콘 찾는 것을 어려워하는 시청각장애인 F씨도 있었다. 새로운 프로그램을 다운로드 받을 때마다 아이콘을 찾지 못해 애를 먹었다.

　시청각장애인 개개인 장애 정도가 다르기에 시청각장애인 당사자에 맞추어 사진, 그래픽, 인쇄물을 명확하게 읽을 수 있게 해야 한다. 시청각장애인이 정보를 얻지 못해서 억울하고 부당한 차별을 겪어선 안된다.

시청각장애인은 두 가지 감각 손상으로 행동이 느리다. 우리는 익숙하게 감각을 사용하여 표지판을 보며 길을 찾고 소리를 들으며 위험을 피할 수 있다. 시력이나 청력이 없다면 환경을 탐색하고 판단하기까지 오래 걸린다. 더욱이 정보를 얻을 수 없다면 결정에 있어 시간이 많이 필요할 수밖에 없다. 시청각장애인은 정확한 안내를 받지 못하여 좌절감을 겪는다.

➡ 시청각장애인에게 도움을 줄 수 있는 촉수화 통역사 부족해요!

교육 접근이 어렵다

시청각장애인은 적절한 교육을 제공받기 어렵다. 현재 우리나라에서는 시청각장애인을 위한 특수 교육 지원이 없다. 시청각장애인 G씨의 부모는 자녀가 듣지 못한다는 이유로 시각장애 특수학교에서 거부당하고, 보지 못한다는 이유로 청각장애 특수학교에서 거부당한 경험을 안타깝게 호소한 적이 있었다. 결국 장애에 맞는 교육 기관을 찾지 못했다.

시청각장애인에 대한 지원이 가장 잘 되어 있는 미국은 헬렌 켈러법과 장애인교육법으로 '농맹'을 별도의 장애 유형으로 규정한다. 그러므로 시청각장애 아동을 조기 발견하고 교육 및 기술 서비스를 제공한다. 시청각장애 학생은 농맹 학생 진단 평가에 따라 수어, 점자, 보행, 감각 훈련 등을 배우며 최적의 교사가 배치된다. 반면 우리나라는 시청각장애 학생에 맞는 교육 기관이 없다. 시청각장애를 가지고 있어도 발달 장애가 있는 특수 학급에서 함께 교육받으며 소외되기도 한다. 2022년 장애인 등에 대한 특수교육법 시행령이 일부 개정되어 시각장애 및 청각장애를 모두 지니면서 시각과 청각에 의한

학습이 곤란하고 의사소통 및 정보 접근에 심각한 제한이 있는 시청각장애 학생에게 지원이 강화되었다. 성인이 되어서도 마찬가지다. 시청각장애인은 지원 인력이 없다는 이유로 하고 싶은 훈련을 등록하지 못한다.

➡ 우리나라는 시청각장애인을 위한 교육 기관이 없어요.

자립생활이 어렵다

시청각장애인은 식사 준비, 정리 기술, 쇼핑 등 일상적인 활동을 독립적으로 수행하는 데 많은 어려움을 겪는다. 시청각장애인 H씨는 계절에 맞지 않는 옷을 입거나 스스로 집 안 정리를 하지 못해 쌓여가는 물건에 발이 걸려 넘어지는 경험을 했다. 이는 자립적인 생활을 위한 교육을 받지 못했기 때문이다. 시청각장애인도 반복적인 훈련을 통하여 생활 환경을 바꿀 수 있다. 개인위생 관리하기, 식사 준비하기, 집에서 이동하기 등 가능하다.

시청각장애인은 의존의 대상이라는 사회적 장벽으로 고립될 수 있다. 단체활동 또는 모임에서 상호작용이 제한적이어서 배제당하는 경우가 있다. 장애가 있다고 해서 능력이 없는 것은 아니다. 그래서 시청각장애인은 심리적으로 스트레스나 우울감을 느끼기도 한다.

사회적 장벽은 시청각장애인의 자립을 더 어렵게 만든다. 장애인 편의 제공이 장애인의 필요에 맞춰져 있지 않다. 장애인 콜택시도 그 중 하나다. 시청각장애인이 이용할 때 전화 통화하기 힘들 뿐더러 차량 번호를 확인하기도 어렵다. 장애의 유형과 특성에 따라 서비스 접근 방식이 달라져야 한다.

　➡ 시청각장애인은 정체성과 자존감의 상실로 정서적 지원이 필요
할 수 있어요!

시청각장애 아동의 교육

시청각장애 아동 교육과정이 없다.

시청각장애 전문 교사가 없다.

시청각장애 아동의 부모 교육이 없다.

시청각장애 아동은 촉각을 통한 자극 치료가 중요하며, 발달 단계에 따른 교육은 아동의 성장과 발달에 큰 영향을 미친다. 감각발달 치료, 또래관계 형성 등 지원 받아야 한다.

제 5 부 시청각장애인 지원과 서비스

우리가 모르는 수화와 점자가 있다

시청각장애인은 손으로 보고 손으로 듣는다. 시력과 청력의 기능을 잃으면서 섬세한 손의 감각으로 세상을 느낀다. 만나면 헤어질 때까지 손을 잡고 있어야 하는 시청각장애인이 있었다. 한번 잡았던 손은 늘 기억하고 있었다. 촉각으로 소통하는 시청각장애인만의 수화와 점자가 있다.

점화

시청각장애인 손가락 등 쪽에 점자를 표기하는 손가락 점자로 말을 전달하는 의사소통 방법이다. 주로 시각 기반 시청각장애인이 쓴다.

촉수화

수화를 시작하는 손 위에 시청각장애인이 직접 손을 얹어 수화 내용을 이해하는 의사소통 방법이다. 주로 청각 기반 시청각장애인이 쓴다.

햅틱시그널

시청각장애인의 등과 팔에 촉신호를 주는 의사소통 방법이다. 공간과 대화 상대자의 상태 등을 알려준다.

타도마

시청각장애인이 말하는 상대방의 입과 목을 직접 만져서 말을 이해하는 의사소통 방법이다.

그 외의 의사소통 수단으로 손바닥 필담, 근접수어, 입술 읽기, 보조기기 활용 등이 있다. 의사소통 보조기기는 점자정보단말기, 점자라벨 프린터, 닷워치, 독서확대기, 음성 출력 프로그램, 이동식 모니터 등으로 가능하다.

➡ 시청각장애인과 대화할 때 당신도 반응을 표현해 주세요!

시청각장애인 의사소통 방법

점화

촉수화

햅틱 시그널

타도마

점자정보단말기 신청에 시험이 필요하다

  시청각장애인은 시각과 청각 두 감각이 모두 손상되어 새로운 의사소통 방법을 배워야 한다. 손상 시기, 순서, 정도에 따라 촉수화, 점자, 점자정보단말기 사용법 등을 교육받아야 한다.

  점자정보단말기는 시청각장애인들이 세상을 경험하고 교류하는 데 있어서 매우 중요한 도구이다. 개인 휴대용 컴퓨터라 할 수 있는 점자정보단말기는 점자와 음성 기능이 있어 문서출력이 가능하고 인터넷을 사용할 수 있다. 우리나라는 한소네를 쓰고 있다. 그러나 이 장비는 고가이기에 시청각장애인들이 개인적으로 구하기 어렵다. 따라서 정부 지원 사업을 통해 지원받아야 한다. 하지만 점자정보단말기를 지원받기 위해서는 점자 사용 능력을 평가받아야 한다. 시청각장애인을 위해 점자를 교육하는 기관도 부족하고 이중 감각 이상으로 학습 속도도 느리다. 시청각장애인은 평가에서 좋은 점수를 받기 힘들 수밖에 없다. 현재 점자정보단말기의 보급률은 낮고, 지원을 받기 위한 경쟁은 치열하다. 시청각장애인에게도 공평한 지원이 이루어져야 한다.

➡ 시청각장애인은 더 어렵고 더 느린 일상 활동으로 인내심이 필요해요!

시청각장애인 보조기기

점자정보단말기
한소네

화면읽기프로그램
센스리더

통화보조기기
드림폰

독서확대기

점자 라벨 프린터

사진출처 : 정보통신보조기기
https://www.at4u.or.kr/

시청각장애인 안내법이 있다

일반적인 장애와 달리 특수성을 가진 시청각장애는 의사소통, 이동, 정보 접근에 어려워 낯선 환경에 놓였을 때 시청각장애인은 더 불안해질 수밖에 없다. 시청각장애인을 이해하고 안내를 돕기로 했다면 시청각장애인 안내법을 알아야 한다.

안내 요령

● 시청각장애인을 안내하는 동안 공간, 상황, 변화 등 정보를 계속해서 제공해야 한다.
예) 누가 있나, 상대방 표정은 어떤가, 위치는 어디인가, 날씨는 어떠한가.
● 방향을 바꾸거나 장애물이 있을 시 안전한 곳에서 잠시 멈추어 상황을 알려주어야 한다.

예) 안내문, 공사중

● 시청각장애인에게 먼저 정보를 주고 어떻게 결정할지 시간을 주어야 한다.

예) 교통 정보 (버스, 택시, 지하철)

● 시청각장애인에게 정보를 줄 때 잘 알아들을 수 있게 조용한 곳으로 이동해야 한다.

예) 카페 메뉴 설명

기본 안내

● 안내의 시작은 시청각장애인에게 안내자의 이름을 밝힌다. 안내가 필요한지 묻는다.

● 안내를 원한다면 시청각장애인의 손등에 안내자의 손등을 접촉한다.

● 안내자는 팔을 내주고 시청각장애인이 안내자의 팔꿈치 위쪽을 잡도록 한다.

● 안내자는 보행 시 시청각장애인보다 반보 앞서 걷는다.

● 시청각장애인이 안내자의 움직임을 판단할 수 있도록 정확한 자세를 유지한다.

● 좁은 통로를 통과할 때는 시청각장애인을 안내하는 팔을 허리춤으로 접는다.

● 모퉁이를 돌 때 시청각장애인이 바깥쪽에 있다면 안내자의 팔꿈치를 몸통으로 붙인다.

● 계단을 안내할 시 시청각장애인이 계단을 인지할 수 있게 잠시 멈춘다.

● 안내자가 항상 한 계단 먼저 오르거나 내린다.

● 의자에 안내할 때 시청각장애인의 손을 의자의 등받이나 팔걸이에 대어준다.

안내 주의점

● 시청각장애인의 걸음 속도에 맞춰 걸어야 한다.

● 물에 젖거나 더러운 손으로 시청각장애인의 손을 잡지 않도록 한다.

● 시청각장애인과의 보행 시 가급적 불필요한 대화는 삼가고 휴대폰 사용을 하지 않는다.

● 통행이 많은 곳에 시청각장애인을 홀로 서 있게 하지 않도록 한다.

● 시청각장애인의 물건(가방)은 시청각장애인이 쉽게 찾을 수 있는 가까운 곳에 놓는다.

● 시청각장애인 눈높이에 맞춰 대화하고 정확한 정보를 전달한다.

● 시청각장애인을 존중히 여기고 대화할 때 반응 없이 무시해선

안 된다.

➡ 시청각장애인의 안내를 마치면 떠난다고 말하고 그냥 가버리지
마세요!

나가는 말

  미국 남동부의 섬, 마서즈 비니어드에서는 수어를 공용어로 사용한다. 마서즈 비니어드 사람들은 청각장애를 장애로 인식하지 않았다. 그 사회는 마치 하나의 확장된 '청각장애인 가족'처럼 기능하며, 장애인에게 모든 적응을 강요하기보다는 오히려 그들이 사회에 잘 적응할 수 있도록 환경을 조성했다.

  내가 처음 시각장애인 지원인으로 일할 때 시각장애에 대한 정보가 부족해 막막했다. 하지만 시간이 흐르면서 점차 시각장애를 특별하게 의식하지 않았고 자연스럽게 도움을 줄 수 있게 되었다. 어느새 마서즈 비니어드 사람들처럼 시각장애에 익숙해져 있었다.

  우리나라에서 '시청각장애'라는 용어가 사용되기 시작한 것은 최근의 일이다. 2019년 6월, 제주특별자치도에서 국내 최초로 시청각장애인의 권리 보장 및 지원에 관한 조례가 제정되었고 이후 경기, 서울 등 다른 지방자치단체에서도 시청각장애인을 위한 법적 근거를 마련하기 시작했다. 그러나 시청각장애를 15개 장애 유형 외 별도의 장애로 인정하고 있지 않다. 시청각장애인의 권리를 보장하는 법적 지원은 없다. 그 결과 시청각장애인은 여전히 제도적인 지원 없이 어둠과 적막 속에 갇혀 지내고 있다.

시청각장애인은 의사소통과 이동에 어려움을 겪기 때문에 스스로 어떤 복지 서비스를 받을 수 있는지조차 알기 어렵다. 특히 장애 정도가 심한 경우, 가족의 도움 없이는 식사조차 혼자 해결하기 어렵고, 하루 종일 방 안에서 시간을 보내는 경우도 많다. 현재 법의 지원 체계가 없어 시청각장애인에 대한 보호는 전적으로 가족의 몫으로 남겨져 있다.

시청각장애는 복합적인 특성을 가진 장애이기에 더욱 많은 관심과 지원이 필요하다. 그러나 시청각장애에 대한 이해가 부족하여 이를 단순히 시각장애나 청각장애로 구분해 이에 따른 편견과 오해가 발생하기도 한다. 시청각장애는 시각과 청각의 이중 손상으로 일상생활에 심각한 제한을 주는 장애이다. 시각장애나 청각장애의 지원과는 달라야 한다.

시청각장애를 한 사람의 개인적 불행으로 내 버려두면 안 된다. 사회의 구성원으로의 역할을 할 수 있도록 도와야 한다. 시청각장애인에 대한 사회적 인식을 개선하는 교육이 필요하며 촉수화 통역사를 양성하고 보조기기의 접근성을 높이는 지원을 강화해야 한다. 그 외 재활 서비스, 직업 훈련, 고용의 기회 등 시청각장애인의 삶의 질을

향상시키는 것을 목표로 해야한다. 시청각장애인의 권리와 필요에 대한 제도적 장치가 마련되기를 바란다.

6월 27일은 세계 시청각장애인의 날이다. 시청각장애인의 권리와 복지를 위하여 헬렌 켈러의 탄생일로 기념하고 있다. 우리가 시청각장애인을 '앎'으로서 자연스럽게 도움을 주게 될 것이다. 시청각장애인은 가까이에 있다.

유용한 자원

한국시청각장애인협회

한국수어통역사협회

손끝세 선교회

제주도농아복지관

밀알복지재단

참고문헌

도로시 허먼, 헬렌 켈러 A Life, 미다스북스, 2012

앤 설리번, 헬렌켈러는 어떤 교육을 받았는가, 라의눈, 2014

키릴 악셀로드, 키릴 악셀로드 신부, 가톨릭출판사, 2013

하벤 길마, 하벤 길마, 알파미디어, 2020

박관찬, 청년은 오늘도 첼로를 연주합니다, 꿈꿀자유, 2024

노라 앨렌 그로스, 마서즈 비니어드 섬 사람들은 수화로 말한다, 한길사, 2003

김도현, 당신은 장애를 아는가, 메이데이, 2007

참고용 해외 웹사이트

세계 시청각장애인 연맹 wfdb.eu/
헬렌 켈러 센터 시청각장애인 연구소 helenkeller.org/hknc/
영국 시청각장애인 봉사단체 sense.org.uk/
일본맹농인협회 jdba.or.jp/
라이트하우스 시청각장애인 프로그램 ighthouse-sf.org/programs/deafblind/

우리가 모르는 시청각장애인 (소리도 빛도 없는 하루를 사는 사람들)

발 행 | 2024년 11월 11일
저 자 | 김예은
펴낸곳 | 도서출판 주안애
출판사등록 | 2024.09.03.(제 353-2024-000031 호)
이메일 | juanlovebooks@naver.com

ISBN | 979-11-989398-1-4